Sydow, Emil von; Wagne

Methodischer Schul-Atlas

Sydow, Emil von; Wagner, Hermann

Methodischer Schul-Atlas

Inktank publishing, 2018

www.inktank-publishing.com

ISBN/EAN: 9783750118355

SYDOW-WAGNERS

METHODISCHER

CHUL-ATLAS.

ENTWORFEN, BEARBEITET UND HERAUSGEGEBEN

VON

HERMANN WAGNER.

—

60 HAUPT- UND 90 NEBENKARTEN AUF 41 TAFELN.

VIERTE, VERBESSERTE UND VERMEHRTE AUFLAGE.

GOTHA.
JUSTUS PERTHES
1878.

INHALT.

Vorwort zur ersten Auflage 1888

(In einigen Abschnitten.)

E...

Vorwort zur fünften Auflage

Die Aufnahme, welche der neue Atlas im Kreise der Fachgenossen an Universitäten und höheren Schulen gefunden hat, sowie die verurteilt rasche Folge der notwendig werdenden Auflagen erweckt in dem Herausgeber das Bewußtsein im allgemeinen ein angebrachtes Hilfsmittel für den geographischen Unterricht geboren zu haben. Die erste größere Veränderung verstellen hat nach der Zeit unser Mitarbeiter ins zu lesen, so in auf manchen Versuchen Ungleichheiten in der Darstellung der manchen Örtlichkeiten oder in der Schreibweise von Namen auf verschiedenen Blättern u. s. erforderten machen und Anregung zur Vervollständigung des Inhalts der Karten geben. Allen diesen Freunden des Atlas spreche ich insbesondere meinen Dank und die Bitte um weitere Mitteilungen aus.

Der gesamte Atlas wurde bereits in der neuen Auflage (1893) einer genauen, ... verschiedene Durchsicht unterzogen; er wurde damals auch durch Aufnahme neuer Reihe von Nebenkärtchen ergänzt. Nun sollte Spezialwerkblätter in verschiedenen im Ausdruck zu der Neubearbeitung dieses umfassenden Lehrbuches im Werke. Für die Zusammenarbeit habe ich mich auf die Anwartung dort besser geworrenen bereuern und eine Reihe aus ... erforderliche Berichtigungen und Ergänzungen hinzuzufügen, wie sie der Fortgang der geographischen Entdeckungen, der Abschluß größerer Landesaufnahmen und die Änderung der Staatsverhältnisse bedingten. Die Umarbeitung einzelner Blätter bleibt dazu auch ferner im Auge gefaßt; ebensowohl aber wird den Bewerbern den Abänderungen nur solche Form zu geben ... daß die einzelnen Auflagen des Atlas im Unterricht ohne unterander gebraucht werden können.

Göttingen, im Januar 1895

Dr. Hermann Wagner,
o. ö. Professor der Geographie an der Universität Göttingen

Erlauterungen.

IV. Die kartographischen Elemente

V. Die physikalisch-statistischen Karten

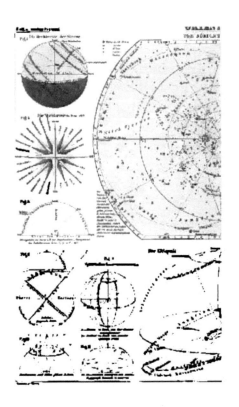

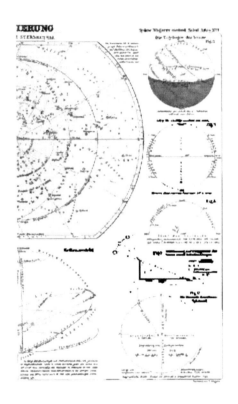

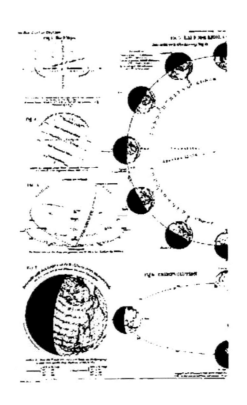

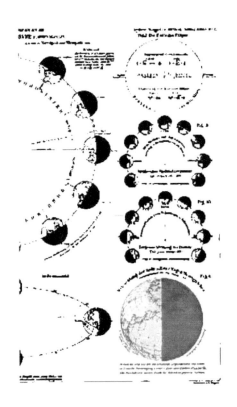

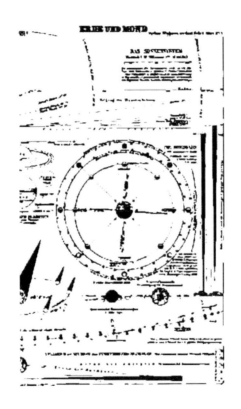

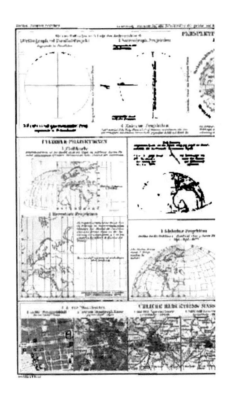

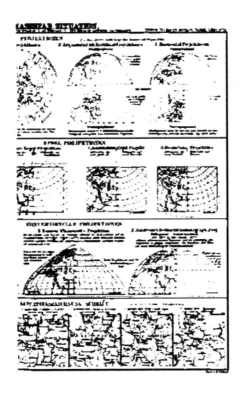

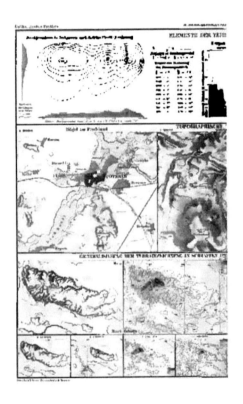

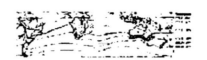

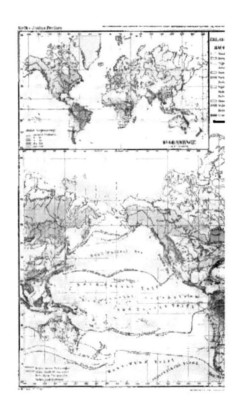

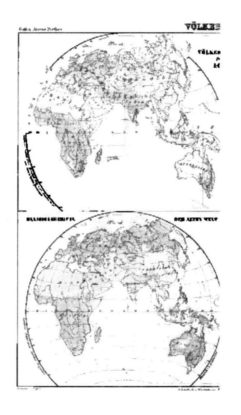

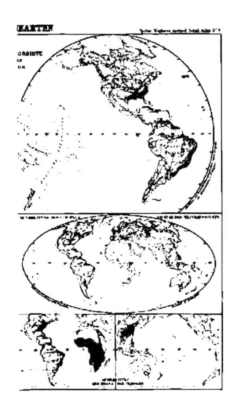

37

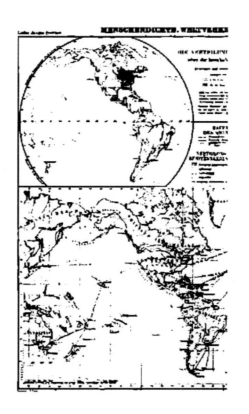

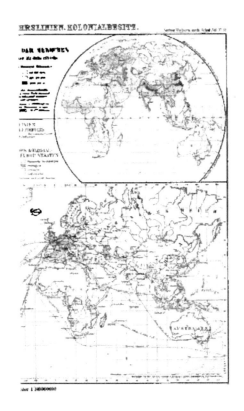

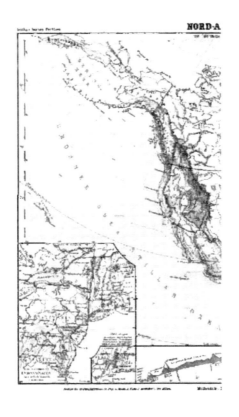

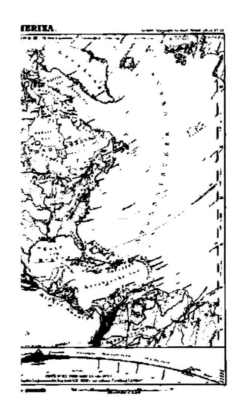

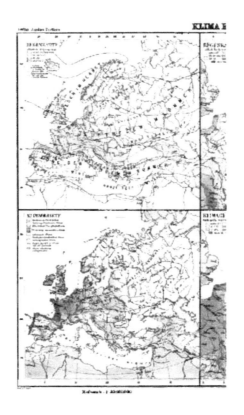

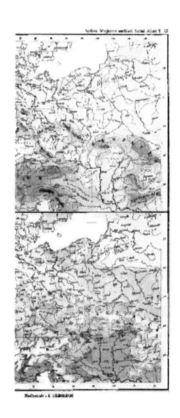

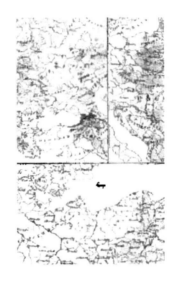

51

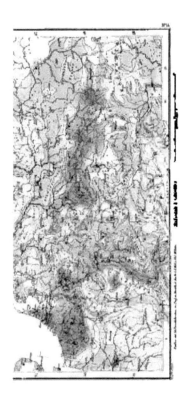

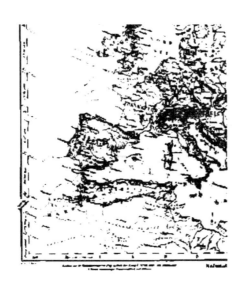

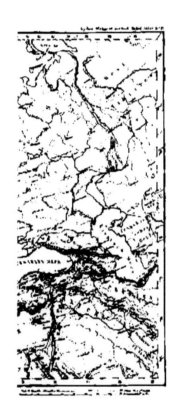

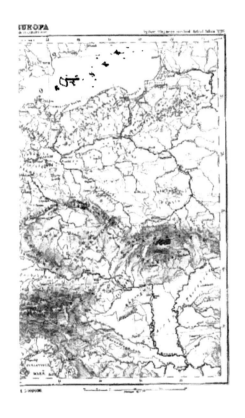

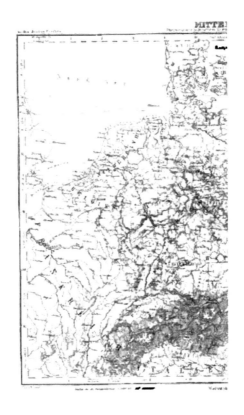

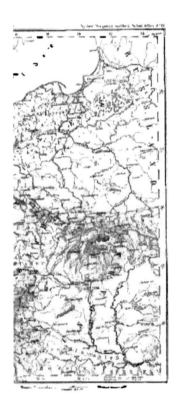

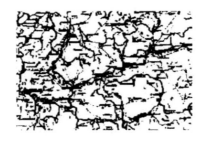

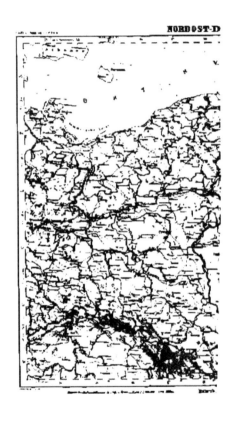

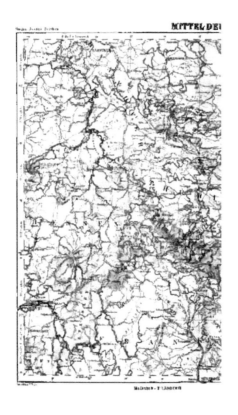

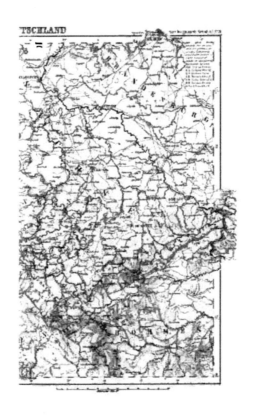

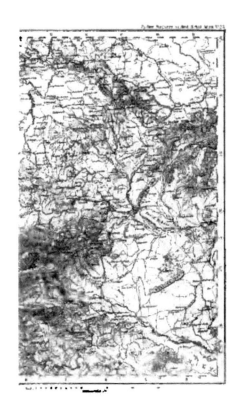

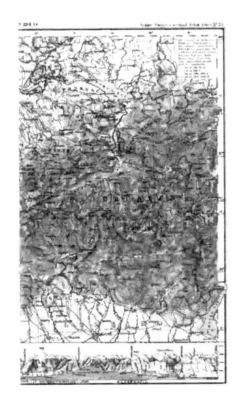

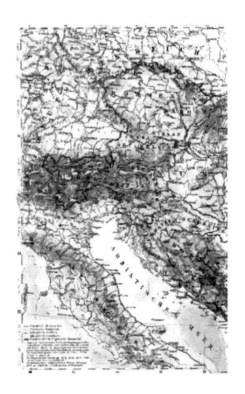

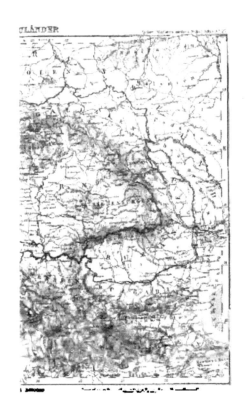

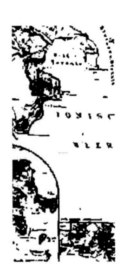

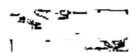

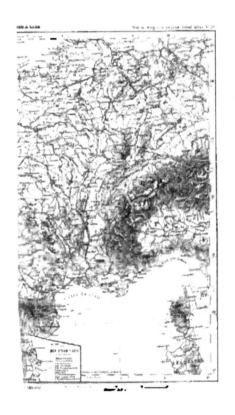

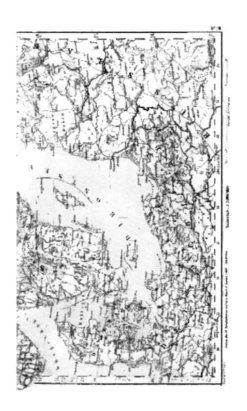

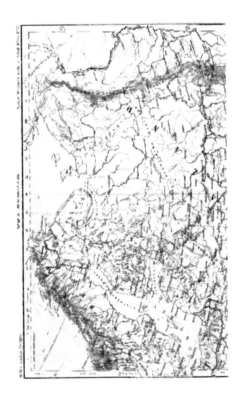

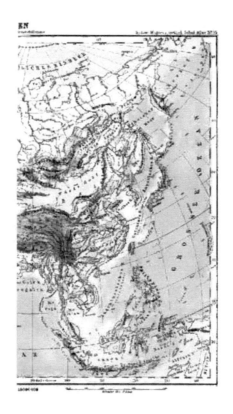

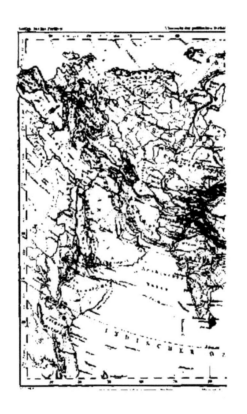

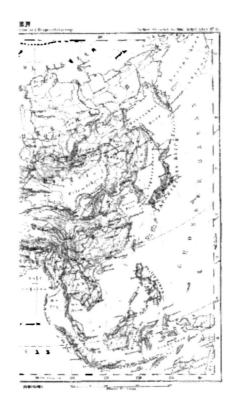

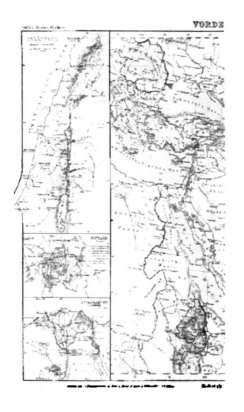

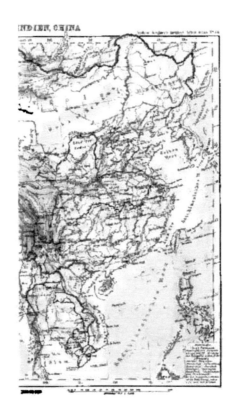

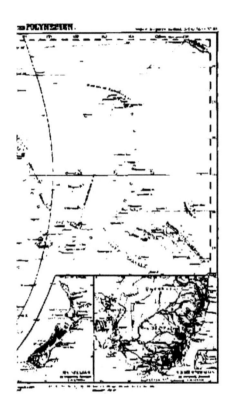

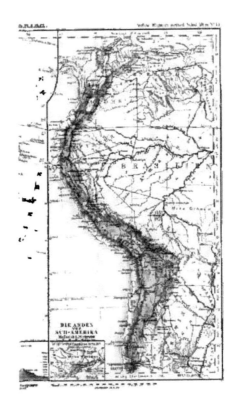

Im Auszug in Sydow-Wagners Methodischem Schul-Atlas erschien.
Verlag von JUSTUS PERTHES in GOTHA.

Sydow-Habenicht,

METHODISCHER WAND-ATLAS.

... oro-hydrographische Schulwandkarten

... nach E. v. Sydows Plan

bearbeitet von

Hermann Habenicht.

I. Abteilung: Kontinente.

1 Erdkarten (Reliefkarte und westliche Halbkugel)...		
2 Europa ... Schaer...	1 : 4 000 000
3 Asien ... Schaer...	1 : 8 000 000
4 Australien und Polynesien ... Schaer...	1 : 6 000 000
5 Afrika ... Schaer...	1 : 6 000 000
6 Nord-Amerika ... Schaer...	1 : 6 000 000
7 Süd-Amerika ... Schaer...	1 : 6 000 000

II. Abteilung. Länder Europas.

8 Deutsches Reich und Nachbarländer ... Schaer...	1 : 750 000
9 Österreich-Ungarn ... Schaer...	1 : 1 000 000
10 Balkanhalbinsel ... Schaer...	1 : 750 000
11 Italien ... Schaer...	1 : 750 000
12 Spanien Halbinsel ... Schaer...	1 : 750 000
13 Frankreich ... Schaer...	1 : 750 000
14 Britische Inseln ... Schaer...	1 : 750 000
15 Skandinavien ... Schaer...	1 : 1 000 000
16 Rußland ... Schaer...	1 : 4 000 000

Diese stummen Wandkarten sind vornehmlich in engster Übereinstimmung mit den betreffenden Karten in Sydow-Wagners Methodischem Schul-Atlas. Einige Abweichungen sind in der Natur der verschiedenen Zwecke begründet. So die besonders kräftiger Hervorhebung bei der Terrainzeichnung, um großartigliche Plastik der Hochgebirge zu erzielen, so die größere Farbengebung der Höhenschichten behufs auf die stärkere Augenwirkung der Unterer Seenlinie.

Die Karten sind in ihrer farben Ausführung darauf berechnet, auch auf der hinten Hand der Schulzimmer in ihren Kamellnin erkennbar zu werden.

G:019
.S98
1893